자녀를 위한 기도

매듭을 푸시는 성모님께 바치는 9일 기도

자녀를 위한 기도
매듭을 푸시는 성모님께 바치는 9일 기도

교회 인가 2019년 8월 20일
1판 1쇄 2019년 12월 8일
1판 9쇄 2025년 2월 21일

엮은이 생활성서사
펴낸이 김사비나 | **펴낸곳** 생활성서사 | **등록** 제78호(1983. 4. 13.)
주소 서울특별시 강북구 덕릉로42길 57-4
편집 02)945-5984 | **영업** 02)945-5987 | **팩스** 02)945-5988
온라인 신한은행 980-03-000121 재) 까리따스수녀회 생활성서사
ISBN 978-89-8481-559-9 02230
책값은 뒤표지에 있습니다.

인터넷 서점 www.biblelife.co.kr
가톨릭 교회의 모든 도서는 '생활성서사' 인터넷 서점에서 만나실 수 있습니다.
© 생활성서사, 2019
전례문 © 한국천주교중앙협의회

자녀를 위한 기도

매듭을 푸시는 성모님께 바치는 9일 기도

생활
성서

매듭을 푸시는 성모님께 바치는
프란치스코 교황의 기도

평생 하느님의 현존 속에 사신

거룩하신 마리아님,

당신은 지극한 겸손으로

하느님 아버지의 뜻을 받아들이시어

악이 빚은 혼란에 결코 매이지 않으셨나이다.

또한 아드님 예수님께 저희 어려움을 중개하시고

더없는 친절과 인내로 저희 삶의 매듭을 푸는

모범을 보여 주셨나이다.

영원하신 어머니,

이렇듯 당신은 저희를 더욱 주님과의

긴밀한 유대 속에 살게 하시나이다.

어머니의 마음으로 저희 삶의 매듭을 풀어 주시는

천주의 모친이자 우리 어머니이신

성모님께 청하오니,

저희 아이 ___를(을) 당신 손에 받아 주시어

온갖 악에서 지켜 주시고

엉켜 있는 삶의 매듭을 풀어 주소서.

당신의 은총과 당신의 전구와 당신의 모범을 통해

저희를 모든 악에서 구해 주시고,

하느님과 하나 됨을 방해하는 매듭들을 풀어 주시며,

죄와 허물에서 건겨 주소서.

또한 모든 것 안에서 주님을 만나고,

저희 마음이 주님과 하나 되어,

늘 형제자매를 통하여 주님을 섬기도록 도와주소서.

아멘.

목차

더 크고 더 귀한 삶을
살아갈 자녀를 위해

부모 역할은 하느님께서 주신 가장 소중한 축복이지만 그 역할을 잘해 낸다는 것은 그 무엇보다 쉽지 않습니다. 그래서 부모에게는 자녀를 어떻게 하면 잘 키울 수 있는지가 가장 큰 고민거리이자 궁극의 관심사입니다. 그렇다고 해도 부모가 자녀를 위해 해 줄 수 있는 것은 한정되어 있기에, 부모는 자신이 할 수 없는 일을 하느님께 의탁하고 성모님의 전구를 구합니다. 그것이 바로 기도입니다.

기도는 자녀를 잘 키우는 데 필요한 최고의 양육법이자 유일한 방법입니다. 자녀의 미래는 부모의 기도를 통해 바로 세워지고, 기도를 통해 보여지는 하느님을 향한 신앙은 부모가 자녀에게 남겨 줄 수 있는 최고의 유산입니다.

역사적으로 볼 때 위대한 인물 뒤에는 늘 어머니의 위대한 기도가 있었습니다. "나는 어머니의 기도를 기억한다. 그 기도는 항상 나를 따라다녔고, 평생 나와 함께했다." 미국의 16대 대통령 에이브러햄 링컨이 어머니 낸시 여사를 기억하며 했던 이 말은 너무도 유명합니다.

군이 위대한 인물의 예를 들지 않더라도 어릴 적 부모가 기도하는 모습을 보며 자란 이라면 그 기도의 힘이 얼마나 크고 강한지 실감할 것입니다. 성인이 된 후 세파에 휘둘려 잘못된 길을 가려 할 때도 잠시 유혹에 흔들려 길을 잃을 때에도 바로 중심을 잡고 제자리로 돌아올 수 있게 하는 건 부모의 기도에 대한 기억입니다. 심지어 자신을 위해 기도하는 부모가 지금 세상에 안 계실지라도 어릴 적 부모의 기도에 대한 기억만큼은 일생동안 생생히 남습니다. 이처럼 자녀를 위해 바치는 부모의 기도는 자녀의 인생 여정을 지켜 주는 버팀목이자 표지판이 됩니다.

이 책은 자녀를 위해 기도하고 싶어도 어떻게 기도해야 하는지 잘 모르는 부모들에게 실제적인 도움이 되길 바라며 만들었습니다. 이른 아침 부모가 바치는 기도 소리에 눈을 뜨고, 늦은 저녁 기도를 담은 손길에 잠이 든다면 우리 아이들은 얼마나 자신이 귀하고 사랑받는 존재인지 깨닫게 될 것입니다. 부모의 기도는 자녀의 미래와 가족의 행복을 지켜 줍니다. 간절한 기도는 하느님을 움직이게 하고 자녀로 하여금 풍요로운 꿈을 꾸게 합니다. 부모의 기도보다도 더 크고 더 귀한 삶을 살아갈 자녀들을 생각하며 이렇게 두 손을 모읍니다.

"주님, 오늘도 당신 앞에 오롯이 마음 모아 저희 자녀를 위해 기도합니다. 저희 부모님의 기도가 위대했듯이 저희 기도 역시 자녀들에게 큰 격려와 응원이 되기를 간절히 소망합니다. 주님, 당신은 저희의 소소한 기도 안에서도 놀라운 일을 이루시는 사랑 가득한 분이십니다."

생활성서사

성모님께는 풀리지 않는
매듭이란 없습니다!

누구나 엉킨 실타래처럼 복잡한 문제 하나쯤은 가슴에 담고 살아갑니다. 아무리 이런저런 궁리를 하고 온갖 조언을 찾아보아도 좀처럼 해결의 기미는 보이지 않습니다. 이럴 때 많은 가톨릭 성인들과 신앙인들은 성모님의 전구를 청하는 기도를 바쳐 왔습니다. 지극히 지혜로우신 동정녀이자 근심하는 이의 위안이신 성모님께서는 얽히고 설킨 삶의 매듭으로 힘들어하는 우리를 결코 내버려 두지 않으시기에 친히 우리를 위해 하느님께 빌어 주십니다.

프란치스코 교황님은 특별히 이 '매듭을 푸시는 성모님'에 대한 신심을 지니고 계십니다. 교황님은 독일 유학 시절에 '매듭을 푸시는 성모님'을 알게 되었습니다. 1980년대 초 아우크스부르크에 있는 성 베드로 암페를라흐 성당에서 성모님의 그림과 함께 거기에 얽힌 이야기를 접하게 된 것입니다.

이야기에 따르면, 1612년 귀족 볼프강 란젠만텔과 소피 임호프 부부는 이혼에 이를 만큼 심각한 위기를 맞게 됩니다. 남편 볼프강은 자신이 겪고 있는 어려움을 아우크스부르크 인근 수도원에서 예수회원인 야콥 렘 신부에게 털어놓았습니다. 야콥 렘 신부는 이 부부의 어려움을 성모님께 맡겨 드리고 전구의 기도를 바치기 시작했습니다. 얼마 후 이들 부부 사이에 사랑의 온기가 감돌기 시작했습니다. 그러자 야콥 렘 신부는 이들 부부가 혼인성사 때에 사용했던 결혼 리본을 성모님께 들어 올리며 이들 사이에 엉킨 매듭을 풀어 주십사 기도를 바쳤고, 이 기도 이후에 부부는 이혼의 위기를 극복하여 행복한 결혼 생활을 이루게 되었습니다.

볼프강의 아들과 손자는 자신들의 집안에 있었던 그때의 일을 기억하며 감사하는 의미로 성모님의 성화를 그려 봉헌하기로 하였습니다. 이 작업은 볼프강 가문을 잘 아는 화가 요한 멜키올 슈미트너에게 맡겨졌고, 화가는 성모님을 매듭을 푸시는 모습으로 표현하였습니다. 사실 매듭을 푸시는 성모님의 이미지는 프랑스 리옹의 이레네오 성인(130?-202년)에게로 거슬러 올라갑니다. 성인은 자신의 저서 『이단 반박』에서 "하와의 불순종으로 생긴 매듭이 성모님의 순명으로 풀렸다."라고 했습니다.

이 그림은 야콥 렘 신부가 오래전에 본당 사제로 사목했던 성 베드로 암페를라흐 성당의 제대 뒤에 걸리게 되었습니다. 이로써 이 그림은 '매듭을 푸시는 성모님'으로 알려지기 시작했고, 이 지역을 중심으로 매듭을 푸시는 성모님에 대한 신심이 생겨났습니다. 프란치스코 교황님은 독일 유학을 마치고 아르헨티나로 돌아갈 때 '매듭을 푸시는 성모님' 성화의 복사본을 구해 가져갔고 이 성화를 신자들에게 알리면서 그 신심은 전 세계로 빠르게 퍼져 나갔습니다.

매듭이란 정신적으로든 육체적으로든 우리를 힘들고 아프게 할 뿐 아니라 그 정도가 깊어지면 우리의 영혼을 피폐하게 만드는 여러 인간적인 문제들로 나타납니다. 그것은 부부 사이의 불화일 수 있고, 부모 자식 간의 갈등일 수 있으며, 형제자매 간의 다툼일 수 있습니다. 그 외의 모든 인간관계에서 비롯되는 부정적인 감정들과 이로 인해 벌어지는 평화롭지 못한 상황들일 수 있습니다. 이러한 매듭은 인간관계에서 비롯되지만 개인에게서도 발견됩니다. 질병이나 스트레스, 쉽게 헤어나지 못하는 중독이나 고치지 못하는 나쁜 습관 등입니다. 이러한 매듭들은 우리의 평화와 행복을 앗아 갑니다. 때로는 우리 영혼의 숨통을 조이며 우리를 걸려 넘어뜨립니다.

부모는 자기 자녀를 옭아매는 매듭을 발견할 때 이루 말할 수 없이 당혹스럽고 마음이 아픕니다. 특히 자녀의 미래를 생각할 때 부모는 자녀가 진정 자유로워질 수 있도록 간청하지 않을 수 없습니다.

우리 자녀의 삶에 풀리지 않는 매듭이 있다면, 성모님께 풀어 주시기를 청합시다. 카나의 혼인 잔치에서 성모님의 청으로 첫 기적을 행하신 예수님께서는 기꺼이 성모님의 청을 들어주실 것입니다. 우리가 굴리는 묵주 알 하나하나에 성모님은 기꺼이 다가오셔서 우리 자녀의 엉킨 매듭을 풀어 주십니다.

성모님께 풀리지 않는 매듭이란 없습니다. 간절히 도움을 구하는 우리의 간청을 성모님은 결코 외면하지 않으십니다. 우리가 더 이상 힘들어하지 않기를, 그래서 행복해지기를 간절히 바라시기 때문입니다.

9일 기도의 전체 기본 형식

1. 9일 기도는 하나의 매듭을 푸는 고리이다(9일 기도 동안 한 가지 매듭으로 기도를 바친다).

2. 9일 기도 중 청원 기도는 한 가지 지향으로 27일 (9일x3회), 감사 기도도 청원 기도 때와 같은 지향으로 27일 (9일x3회), 이렇게 총 54일을 바친다.

3. 교회는 요일이 지닌 전례의 의미에 따라 다음과 같이 해당 신비의 묵주 기도를 바치도록 권장한다.

월	화	수	목	금	토	일
환희	고통	영광	빛	고통	환희	영광

4. 묵주 기도의 각 신비를 요일과 상관없이 바칠 경우, '**환희의 신비→빛의 신비→고통의 신비→영광의 신비**'의 순서를 따른다. 이 순서를 따르다 보면 9일 기도 마지막 날(27일째)에는 '고통의 신비'로 마치게 되는데 여기에 '영광의 신비' 5단을 더 바침으로써 27일 기도 전체를 마무리한다.

1	환희	2	빛	3	고통	4	영광	5	환희	6	빛	7	고통
8	영광	9	환희	10	빛	11	고통	12	영광	13	환희	14	빛
15	고통	16	영광	17	환희	18	빛	19	고통	20	영광	21	환희
22	빛	23	고통	24	영광	25	환희	26	빛	27	고통+영광		

매듭을 푸시는 성모님께 바치는
9일 기도의 방법 및 순서

1. 매듭을 푸시는 성모님께 바치는 9일 기도는 기도 기간 내내(청원 27일, 감사 27일) 오롯이 하나의 지향을 두고 정성스레 바친다.

2. 이 기도는 '성호경'으로 시작한다. 그리고 표지의 매듭을 푸시는 성모님을 바라보며 잠시 침묵 중에 겸손한 마음으로 자신을 돌아보는 성찰과 반성의 시간을 갖는다. 이어서 '통회 기도'를 바친다.

3. 다음에, '매듭을 푸시는 성모님께 바치는 기도'를 바치는데, 이때 풀어 주십사 간구하는 '매듭의 이름'을 기도문 안에 넣고 반드시 들어주신다는 믿음으로 기도를 바친다. 매듭의 이름은 '자녀를 위한 청원 기도(34-76쪽)'에서 선택한다.

4. 이어서 해당일에 맞는 묵주 기도의 신비 1단, 2단, 3

단을 바치는데 평소 묵주 기도를 바치는 형식을 그대로 따른다.

5. 그러고 나서 '청원의 9일 기도'를 바치는데, 먼저 '자녀를 위한 청원 기도(34-76쪽)'에서 선택한 내용의 기도를, "매듭을 푸시는 성모님"을 부르면서 바친다. 청원 기도는 27일 동안 매일 바친다.

6. '감사의 9일 기도' 역시 청원 기도 때와 같은 지향, 같은 방식으로 27일 동안 바치는데, 기도에 대한 응답이 곧바로 이루어지지 않더라도 주님께서 다른 시간에 다른 모습으로 응답해 주실 것이라 믿으며 감사 기도를 주어진 형식에 따라 바친다.

7. 이제 묵주 기도 4단, 5단을 이어서 바치고 나서, '매듭을 푸시는 성모님께 바치는 프란치스코 교황의 기도'를 교황님과 같은 마음으로 바친 뒤, '성호경'으로 하루 기도를 마무리한다.

환희의 신비

1단	마리아께서 예수님을 잉태하심을 묵상합시다.
2단	마리아께서 엘리사벳을 찾아보심을 묵상합시다.
3단	마리아께서 예수님을 낳으심을 묵상합시다.
4단	마리아께서 예수님을 성전에 바치심을 묵상합시다.
5단	마리아께서 잃으셨던 예수님을 성전에서 찾으심을 묵상합시다.

빛의 신비

1단	예수님께서 세례 받으심을 묵상합시다.
2단	예수님께서 카나에서 첫 기적을 행하심을 묵상합시다.
3단	예수님께서 하느님 나라를 선포하심을 묵상합시다.
4단	예수님께서 거룩하게 변모하심을 묵상합시다.
5단	예수님께서 성체성사를 세우심을 묵상합시다.

고통의 신비

1단	예수님께서 우리를 위하여 피땀 흘리심을 묵상합시다.
2단	예수님께서 우리를 위하여 매 맞으심을 묵상합시다.
3단	예수님께서 우리를 위하여 가시관 쓰심을 묵상합시다.
4단	예수님께서 우리를 위하여 십자가 지심을 묵상합시다.
5단	예수님께서 우리를 위하여 십자가에 못 박혀 돌아가심을 묵상합시다.

영광의 신비

1단	예수님께서 부활하심을 묵상합시다.
2단	예수님께서 승천하심을 묵상합시다.
3단	예수님께서 성령을 보내심을 묵상합시다.
4단	예수님께서 마리아를 하늘에 불러올리심을 묵상합시다.
5단	예수님께서 마리아께 천상 모후의 관을 씌우심을 묵상합시다.

매듭을 푸시는 성모님께 바치는
청원의 9일 기도

➕ 성호경(십자 성호를 그으며)

성부와 성자와 성령의 이름으로. 아멘.

➕ 잠시 침묵 중에 성찰과 반성의 시간을 갖는다.

➕ 통회 기도

하느님, 제가 죄를 지어 참으로 사랑받으셔야 할 하느님의 마음을 아프게 하였기에 악을 저지르고 선을 멀리한 모든 잘못을 진심으로 뉘우치나이다. 하느님의 은총으로 속죄하고 다시는 죄를 짓지 않으며 죄지을 기회를 피하기로 굳게 다짐하오니 우리 구세주 예수 그리스도의 수난 공로를 보시고 저에게 자비를 베풀어 주소서. 아멘.

✚ 매듭을 푸시는 성모님께 바치는 자녀를 위한 청원 기도

매듭을 푸시는 성모님,

어머니께서는 실망과 실의에 빠진 저희 가족을

애틋하게 여기시어 힘들어하는 저희를

보듬어 주시나이다.

사랑과 신뢰의 마음 가득 담아 어머니께 청하오니,

저희 아이의 삶에 엉켜 있는 _____ (선택한 기도의 매듭 이름,

예:열등감, 34-76쪽 참조)의 매듭을 풀어 주시고

어서 빨리 이 어려움에서 벗어나

자유로이 꿈을 펼쳐 나가게 하소서.

가정의 모후이시며, 근심하는 이의 위안이신 성모님,

어머니의 자애로운 손안에

저희의 힘겨운 매듭을 올려놓사오니

저희의 간구에 귀 기울이시어

힘든 삶의 매듭을 풀어 주소서.

아멘.

매듭을 푸시는 성모님,

저희를 위하여 빌어 주소서.

사도 신경, 주님의 기도, 성모송(3번), 영광송, 구원을 비는 기도

✚ 묵주 기도 1단, 2단, 3단(그날에 해당하는 신비에 따라)

주님의 기도, 성모송(10번), 영광송, 구원을 비는 기도

✚ 청원 기도('자녀를 위한 청원 기도(34-76쪽)' 중 한 가지 내용 선택)

매듭을 푸시는 성모님, ……(이어서 선택한 내용의 기도를 바친다)

✚ 묵주 기도 4단, 5단(그날에 해당하는 신비에 따라)

주님의 기도, 성모송(10번), 영광송, 구원을 비는 기도

✚ 매듭을 푸시는 성모님께 바치는 프란치스코 교황의 기도

평생 하느님의 현존 속에 사신

거룩하신 마리아님,

당신은 지극한 겸손으로

하느님 아버지의 뜻을 받아들이시어

악이 빚은 혼란에 결코 매이지 않으셨나이다.

또한 아드님 예수님께 저희 어려움을 중개하시고

더없는 친절과 인내로 저희 삶의 매듭을 푸는

모범을 보여 주셨나이다.

영원하신 어머니,

이렇듯 당신은 저희를 더욱 주님과의

긴밀한 유대 속에 살게 하시나이다.

어머니의 마음으로 저희 삶의 매듭을 풀어 주시는

천주의 모친이자 우리 어머니이신

성모님께 청하오니,

저희 아이 ＿＿를(을) 당신 손에 받아 주시어

온갖 악에서 지켜 주시고

엉켜 있는 삶의 매듭을 풀어 주소서.

당신의 은총과 당신의 전구와 당신의 모범을 통해

저희를 모든 악에서 구해 주시고,

하느님과 하나 됨을 방해하는 매듭들을 풀어 주시며,

죄와 허물에서 건져 주소서.

또한 모든 것 안에서 주님을 만나고,

저희 마음이 주님과 하나 되어,

늘 형제자매를 통하여 주님을 섬기도록 도와주소서.

아멘.

매듭을 푸시는 성모님,

저희를 위하여 빌어 주소서.

✚ 성호경 (십자 성호를 그으며)

성부와 성자와 성령의 이름으로. 아멘.

매듭을 푸시는 성모님께 바치는 감사의 9일 기도

✚ **성호경**(십자 성호를 그으며)

성부와 성자와 성령의 이름으로. 아멘.

✚ 잠시 침묵 중에 성찰과 반성의 시간을 갖는다.

✚ **통회 기도**

하느님, 제가 죄를 지어 참으로 사랑받으셔야 할 하느님의 마음을 아프게 하였기에 악을 저지르고 선을 멀리한 모든 잘못을 진심으로 뉘우치나이다. 하느님의 은총으로 속죄하고 다시는 죄를 짓지 않으며 죄지을 기회를 피하기로 굳게 다짐하오니 우리 구세주 예수 그리스도의 수난 공로를 보시고 저에게 자비를 베풀어 주소서. 아멘.

✚ 매듭을 푸시는 성모님께 바치는 자녀를 위한 감사 기도

매듭을 푸시는 성모님,

어머니의 힘 있는 전구로 저희 기도가

주님께 닿았나이다.

저희는 자녀의 목소리에 귀 기울이시는

어머니로부터 위로를 받고,

매듭을 풀어 주시는 어머니 덕분에

희망을 잃지 않으며,

어머니의 보호하심으로 영원한 행복에

이를 수 있기에 감사드리나이다.

하늘의 문이신 성모님,

이제 주님과 하나 되도록 저희를 이끌어 주시어

주님의 무한한 사랑 안에 깃들게 하소서. 아멘.

매듭을 푸시는 성모님,

저희를 위하여 빌어 주소서.

사도 신경, 주님의 기도, 성모송(3번), 영광송, 구원을 비는 기도

✚ 묵주 기도 1단, 2단, 3단(그날에 해당하는 신비에 따라)

주님의 기도, 성모송(10번), 영광송, 구원을 비는 기도

✚ 감사 기도

매듭을 푸시는 성모님,

저희가 어머니의 거룩한 손안에 올려 드린 매듭을 풀어 주시어 감사드립니다.

저희 아이의 삶에 엉켜 있는_____(선택한 기도 내용의 매듭 이름, 예:열등감, 34-76쪽 참조)의 매듭은 그동안 저희 아이와 가족 모두에게 어찌할 수 없는 어려움이자 걱정거리였습니다. 어머니께서 친히 주님께 전구해 주시어 저희의 어려움을 편안함으로, 두려움을 평화로움으로 바꾸어 주셨나이다. 이제 저희 아이는 용기를 얻어 세상에서 당당하게 꿈을 펼쳐 나갈 수 있으리라 믿습니다. 저희 가족이 주님의 무한한 사랑에 힘입어 서로 이해

하고 서로 사랑할 수 있도록 이끌어 주시고, 그 사랑을
이웃과도 나눌 수 있도록 도와주소서.
아멘.

➕ 묵주 기도 4단, 5단 (그날에 해당하는 신비에 따라)
주님의 기도, 성모송 (10번), 영광송, 구원을 비는 기도

➕ 매듭을 푸시는 성모님께 바치는 프란치스코 교황의 기도
평생 하느님의 현존 속에 사신
거룩하신 마리아님,
당신은 지극한 겸손으로
하느님 아버지의 뜻을 받아들이시어
악이 빚은 혼란에 결코 매이지 않으셨나이다.
또한 아드님 예수님께 저희 어려움을 중개하시고
더없는 친절과 인내로 저희 삶의 매듭을 푸는
모범을 보여 주셨나이다.

영원하신 어머니,

이렇듯 당신은 저희를 더욱 주님과의

긴밀한 유대 속에 살게 하시나이다.

어머니의 마음으로 저희 삶의 매듭을 풀어 주시는

천주의 모친이자 우리 어머니이신

성모님께 청하오니,

저희 아이 ___를(을) 당신 손에 받아 주시어

온갖 악에서 지켜 주시고

엉켜 있는 삶의 매듭을 풀어 주소서.

당신의 은총과 당신의 전구와 당신의 모범을 통해

저희를 모든 악에서 구해 주시고,

하느님과 하나 됨을 방해하는 매듭들을 풀어 주시며,

죄와 허물에서 건져 주소서.

또한 모든 것 안에서 주님을 만나고,

저희 마음이 주님과 하나 되어,

늘 형제자매를 통하여 주님을 섬기도록 도와주소서.

아멘.

매듭을 푸시는 성모님,

저희를 위하여 빌어 주소서.

✚ 성호경(십자 성호를 그으며)

성부와 성자와 성령의 이름으로. 아멘.

자녀를 위한 청원 기도 1

미성년 자녀를 위한 청원 기도

미성년 자녀를 위한
청원 기도

성당에 가지 않으려는 자녀를 위하여

(불신앙의 매듭)

✚ 언제부터인가 주일이 되면 성당에 가지 않으려는 저희 아이를 위해 기도합니다. 아이는 주일 미사와 주일 학교에 참여하는 것이 부담스럽고 귀찮은가 봅니다. 어릴 적 아이의 마음속에 심긴 신앙의 씨앗이 앞으로 아이가 걸어갈 삶의 여정에 큰 힘이 되리라는 것을 잘 알고 있기에 어머니께 간절히 청합니다. 저희 아이로 하여금 미사의 풍요로운 은혜와 성체를 모시는 기쁨을 맛들일 수 있게 하시고 주님과 교회에 대해 더 알고 배워 누구보다 주님을 사랑하는 교회의 소중한 일꾼이 되게 하소서.

학교 가기 싫어하는 자녀를 위하여

(불편한 학교생활의 매듭)

➕ 학교 가기 싫어하는 저희 아이를 위해 기도합니다. 학교야말로 많은 것을 익히고 새로운 것에 도전할 수 있는 배움과 기회의 현장이기에 인생에서 학창 시절이 무엇보다 소중한 시기임을 잘 알고 있습니다. 학교에서 만나는 친구들 그리고 선생님들과의 관계가 피하고 싶을 만큼 힘들고 어려울지라도 기도하며 슬기롭게 풀어 나갈 수 있는 지혜를 주소서. 또한 저희 아이로 하여금 선생님을 진심으로 존경하고 주변 친구들이 경쟁자가 아닌 동반자임을 깨달아 즐거운 학교생활이 될 수 있도록 이끌어 주소서.

공부하기 싫어하는 자녀를 위하여

(공부하기 싫어함의 매듭)

➕ 공부하기 싫어하는 저희 아이를 위해 기도합니다.

아이는 공부하는 게 싫어서 학교 다니는 것마저 포기하려고 합니다. 공부란 세상을 이롭게 하며 사람답게 살도록 이끌어 주는 중요한 방편임을 잘 알기에 어머니께 간절히 청합니다. 저희 아이로 하여금 지치지 않는 배움의 과정을 통하여 소중한 꿈과 희망을 품게 하여 주시고, 세상의 이치와 진리를 깨달을 수 있도록 이끌어 주소서. 그리하여 공부 안에서 진정한 기쁨과 즐거움을 얻게 하소서.

편식하는 자녀를 위하여

(편식의 매듭)

✚ 편식하는 아이를 위해 기도합니다. 좋아하는 음식만 골라 먹는 아이의 편식 습관은 좀처럼 고쳐지지 않습니다. 편식은 영양분을 골고루 섭취할 수 없어 건강에 좋지 않을 뿐 아니라 남은 음식을 버리는 일은 하느님의 뜻에도 어긋납니다. 어머니께 간절히 청하오니,

음식을 가리는 아이로 하여금 하느님께서 창조하신 다양한 재료와 음식을 감사하는 마음으로 즐길 수 있게 하시고 이 세상에는 수많은 이가 굶주림에 허덕이고 있음을 깨달아 음식을 버리는 일이 없게 하소서.

몸이 약한 자녀를 위하여

(약함의 매듭)

✚ 약한 체력 때문에 힘들어하는 아이를 위해 기도합니다. 몸이 약한 아이는 자주 병에 걸리고 친구들과도 잘 어울리지 못합니다. 저희 아이에게 자신의 약함에 움츠러들지 않는 용기와 약한 몸을 잘 돌볼 수 있는 지혜를 주시어 체력을 스스로 다져가게 하소서. 또한 활기찬 마음으로 어떠한 질병도 당당히 극복하고 자신이 해야 할 일을 온전히 감당할 수 있도록 도와주소서. 그리하여 건강한 정신과 체력을 갖춘, 주님의 든든한 자녀가 되게 하소서.

몸이 아픈 자녀를 위하여

(병고의 매듭)

✚ 몸이 아픈 저희 아이를 위해 기도합니다. 힘들어하는 아이의 모습을 지켜보고만 있는 부모의 마음을 어찌 말로 다 표현할 수 있을까요. 할 수 있다면 차라리 제가 아이 대신 아팠으면 하는 심정입니다. 주님께서 공생활 동안 많은 병자를 치유하셨듯이 저희 아이도 가엾이 여기시어 아이가 건강을 되찾을 수 있도록 치유의 손길로 감싸 주소서. 어머니께 간절히 비오니, 고통 중에 있는 아이의 마음속에 늘 주님께서 함께하신다는 강한 믿음을 심어 주시고 병을 잘 이겨 낸 후엔 건강한 몸과 마음으로 주님을 찬미하게 하소서.

어려움 앞에서 낙심하는 자녀를 위하여

(낙심의 매듭)

✚ 기대만큼의 결과를 얻지 못해 낙심하고 있는 저희

아이를 위해 기도합니다. 살다 보면 예상하지 못한 실패와 고난에 둘러싸일 때가 많겠지만 이런 어려움 앞에서 낙심하지 않고 실패를 부끄러워하지 않도록 저희 아이에게 다부진 마음을 허락하여 주소서. 어머니께 청하오니, 아이에게 이 고비를 잘 건널 수 있는 지혜와 용기를 주시어 담대하게 이 어려움을 이겨 내게 하소서. 나아가 아이의 힘과 노력이 바닥난 그 자리야말로 주님께서 아이를 위해 손수 일하고 도우시는 소중한 기회임을 깨닫게 하소서.

시험을 못 봐 속상해하는 자녀를 위하여

(속상함의 매듭)

✚ 시험을 망쳤다고 속상해하는 저희 아이를 위해 기도합니다. 그동안 열심히 공부하는 아이의 모습을 곁에서 지켜봐 왔기에 아이의 속상함이 얼마나 클지 헤아려집니다. 어머니께 바라옵건대, 기대에 어긋난 결

과로 힘들어하는 아이에게 따뜻한 위로와 응원을 전할 수 있도록 저에게 당신 닮은 자애로운 마음을 주소서. 또한 아이가 이번 일을 통하여 자신의 공부 방법을 다시 점검하면서 지난 일을 툴툴 털어 버리고 더욱 굳건한 마음으로 다음 시험을 준비할 수 있도록 이끌어 주소서.

가출한 자녀를 위하여

(가출의 매듭)

✚ 집을 나가 돌아오지 않는 아이를 위해 기도합니다. 아이가 어디에 있든 위험과 해악에서 지켜 주시고 하루 빨리 저희 품으로 돌아올 수 있도록 인도해 주소서. 왜 그때는 아이를 좀 더 이해하지 못하고 더 많이 받아들이지 못했을까 하며 후회하고 또 후회하지만 지금 곁에 없는 아이에게 이 후회마저도 아무런 도움이 되지 못한다는 것을 잘 압니다. 어머니께 간절히 청하오

니, 지금 누구보다 두려움과 외로움에 힘들어할 아이
의 마음을 보듬어 주시고 아이가 어서 빨리 집으로 돌
아와 가족 모두가 함께 기뻐하게 하소서.

형제자매와의 갈등으로 힘들어하는 자녀를 위하여

(다툼의 매듭)

✚ 형제자매 간에 다툼이 끊이지 않는 저희 자녀들을
위해 기도합니다. 아이들은 서로 비난하고 갈등하며
상처를 주고받고 있습니다. 저희 가족의 모든 것을 낱
낱이 알고 계시는 어머니께 간절히 청하오니, 저희 아
이들이 서로의 허물을 덮어 주고 다른 형제자매가 어
려움에 처했을 때에 아낌없이 도울 수 있는 성숙한 마
음을 지니도록 이끌어 주소서. 설령 의견이 달라 다툼
이 생긴다 하더라도 먼저 상대의 입장을 배려하고 헤
아리는 마음으로 서로에 대한 사랑을 쌓아가는 형제
자매가 되게 하소서.

이기심이 많은 자녀를 위하여

(이기심의 매듭)

✚ 늘 자신이 중심에 있고 싶어 하는 저희 아이를 위해 기도합니다. 자신의 이익을 위해서는 다른 사람의 희생마저 당연한 것으로 생각하는 이기적인 마음을 없애 주시고, 자기주장만이 옳다는 교만함에서 벗어나게 해 주소서. 어머니께 청하오니, 저희 아이로 하여금 자신이 소중하듯 다른 사람도 소중함을 알게 하시고 자신을 사랑하듯 다른 사람을 사랑하는 사람이 되게 하소서. 그리하여 공동체에서 서로의 유익을 위해 마음을 다하는 사려 깊은 일꾼이 되게 하소서.

책임감이 없는 자녀를 위하여

(무책임함의 매듭)

✚ 평소 책임감이 부족하여 늘 염려했던 저희 아이를 위해 기도합니다. 조금씩 몸이 자라고 활동이 다양해

지면서 아이가 책임져야 할 부분도 점점 많아집니다. 어머니께 바라옵건대, 마땅히 책임져야 할 일 앞에서 남에게 책임을 떠넘기거나 모른 척 넘어가려는 비겁함의 유혹을 물리치고, 자신이 한 말과 행동을 끝까지 책임질 줄 아는 사람이 되게 하소서. 또한 소소한 일에도 책임을 다하는 모습이야말로 앞으로 세상을 살아갈 진정한 힘임을 깨닫게 하소서.

주위가 산만한 자녀를 위하여

(산만함의 매듭)

✚ 주위가 산만한 저희 아이를 위해 기도합니다. 아이는 공부하거나, 그 외 집중이 필요할 때에도 온통 다른데에 마음을 빼앗겨 할 일을 제대로 하지 못합니다. 어머니께 간절히 청하오니, 아이 스스로 자신의 마음을 앗아 가는 것이 무엇인지 곰곰이 살피고 무엇이 중요한지를 깨달아 산만한 자세를 고쳐 나갈 수 있게 하소

서. 그리하여 집중해야 할 곳에 마음을 모으고 시간을 헛되이 사용하지 않게 하소서. 아이의 마음과 생각을 오롯이 지켜 주시는 분은 주님이십니다.

감정을 잘 다스리지 못하는 자녀를 위하여

(불안정한 감정의 매듭)

✚ 자신의 감정을 잘 다스리지 못하는 저희 아이를 위해 기도합니다. 아이는 자기 뜻대로 되지 않으면 조급해하고 짜증을 부리며 화를 내어 주위 사람들을 불편하게 할 때가 있습니다. 어머니께 간절히 바라오니, 아이로 하여금 자신의 감정을 바르게 조절할 수 있는 여유로움과 다른 사람을 포용할 수 있는 넓은 마음을 지니도록 허락하소서. 그리하여 남의 입장을 헤아리며 자기 자신을 내려놓을 줄 알고 그 빈자리를 사랑으로 채울 수 있는 주님의 자녀가 되게 하소서.

사춘기를 지내는 자녀를 위하여

(사춘기의 매듭)

✚ 사춘기를 흔히 '질풍노도'의 시기라고 합니다. 가끔은 자신을 스스로 조절하기 어려워하는 아이의 모습을 보며 당황하기도 하고 화가 날 때도 있습니다. 하지만 이 시기야말로 아이가 육체적으로 정신적으로 홀로서기를 준비하는 시간이라고 믿기에 그 모든 것을 성장의 밑거름으로 받아들이고자 합니다. 어머니께 간절히 청하오니, 아이가 이 시기를 거치면서 자신이 진정 누구인지 깨닫고 누구에게나 사랑받고 존경받는 현명한 어른으로 자라게 하소서.

방황하는 자녀를 위하여

(방황의 매듭)

✚ 제 길에서 벗어나 방황하는 저희 아이를 위해 기도합니다. 어긋난 길 위에서 혼자 힘들어하는 아이를 보

며 부모로서 자괴감마저 들 때가 많습니다. 아이의 고통과 절망을 누구보다 잘 아시는 어머니께서 따스한 손길로 아이의 상처를 어루만져 주시길 청합니다. 또한 저희 아이로 하여금 한때의 잘못에 얽매이지 않고 더 넓은 시선으로 세상을 보게 하시어 방황의 긴 터널을 빠져나와 제 길을 찾아가게 하소서. 그리하여 지금의 위기가 더 큰 성장의 기회가 되게 하소서.

모든 일에 자신이 없는 자녀를 위하여
(열등감의 매듭)

✚ 모든 일에 늘 자신 없어 하는 저희 아이를 위해 기도합니다. 아이는 지금 자신이 지닌 좋은 면을 인정하지 못한 채 친구들과 자신을 비교하며 열등감에 빠져 있습니다. 어머니께 간절히 청하오니, 저희 아이로 하여금 자신이 주님의 사랑받는 자녀이며, 세상 누구와도 비교할 수 없는 특별하고 유일한 주님의 아름다운

작품임을 깨달아 알게 하소서. 그리고 스스로 자신이 가치있는 존재임을 인식하여 열등감을 버리고 새롭게 태어나 자신감 넘치는 삶을 살게 하소서.

주어진 모든 것을 못마땅해하는 자녀를 위하여
(불만족의 매듭)

✚ 자신이 가진 것 대부분을 못마땅해하는 저희 아이를 위해 기도합니다. 아이는 자신의 외모는 물론 학과 공부, 교우 관계, 부모의 경제력까지 어떤 것에서든 감사보다 불평을 앞세웁니다. 어머니께 간절히 청하오니, 아이로 하여금 자신과 자신의 주위를 긍정적으로 바라볼 수 있는 눈과 마음을 주시어 못 가진 것보다 가진 것을, 부족한 점보다 넘치는 점을 보게 하소서. 그리하여 자신을 진심으로 사랑하고 나아가 이웃을 사랑하는 열린 마음을 허락하소서.

친구를 괴롭히는 자녀를 위하여

(폭력의 매듭)

✚ 약한 친구들을 괴롭히는 저희 아이를 위해 기도합니다. 저희 아이가 힘이 약한 친구를 따돌리고 괴롭힌다는 이야기를 주위 사람들로부터 들었습니다. 어머니께 간절히 청하오니, 저희 아이로 하여금 자신의 따돌림과 괴롭힘으로 인해 피해 친구가 얼마나 불안해하고 고통스러워하는지 공감함으로써 자신이 행동이 얼마나 잘못된 일인지 깨닫게 하소서. 그리고 저희 아이로 인해 고통받은 친구를 위해 기도드리오니 그들이 받은 상처를 보듬어 주시고 치유해 주시어 하루 빨리 안정을 되찾을 수 있도록 이끌어 주소서.

따돌림 당하는 자녀를 위하여

(따돌림의 매듭)

✚ 친구의 괴롭힘과 따돌림으로 힘들어하는 저희 아

이를 위해 기도합니다. 아이가 따돌림을 당하더라도 지혜롭고 씩씩하게 어려움을 헤쳐 나갈 수 있도록 힘이 되어 주시고, 아이에게 자신이 겪는 어려움을 부모와 선생님에게 털어놓고 도움을 청할 수 있는 용기를 주소서. 어머니께 간절히 청하오니, 아이가 받은 상처를 하루 빨리 아물게 하시어 잘못된 죄책감이나 외로움에 시달리지 않게 하소서. 또한 다윗과 요나탄처럼 평생 우정을 나눌 수 있는 소중한 친구를 사귀어 기쁨과 신뢰 안에서 힘차게 세상을 살아가게 하소서.

장애를 가진 자녀를 위하여

(세상 편견의 매듭)

✚ 장애라는 고통을 안고 살아가는 저희 아이를 위해 기도합니다. 아이가 자신의 장애를 인생의 장해물이라 여기지 않고 주님께서 담아 주신 더 깊은 뜻을 헤아리게 하시어 빛나는 삶의 의미를 찾게 하소서. 어머니

께 간절히 청하오니, 주변의 부정적인 시선으로 인해 생긴 아이의 마음속 상처를 어루만져 주시고 아이로 하여금 그 편견을 극복하고 삶의 경이로움과 기쁨을 누리게 하소서. 또한 저희에게도 은총을 주시어 어떤 어려움 앞에서도 평생 아이를 사랑할 수 있는 힘을 주소서.

스마트폰과 게임에 빠져 있는 자녀를 위하여
(중독의 매듭)

✚ 스마트폰과 게임에 빠져 있는 저희 아이를 위해 기도합니다. 아이는 지나칠 만큼 스마트폰(인터넷 게임)에 빠져 생활의 리듬을 잃을 때가 많습니다. 어머니께 간절히 청하오니, 아이가 건전한 놀이와 운동을 통해 스마트폰과 게임의 유혹에서 벗어날 수 있게 하시고, 폭력적이고 자극적인 게임을 자제할 수 있는 분별력과 강한 의지를 주소서. 그리하여 늘 새로이 마주하는 일

상과 사람과의 관계 안에서 소통의 즐거움을 누리며 학생으로서의 균형 있는 삶을 살아가게 하소서.

도전을 두려워하는 자녀를 위하여

(두려움의 매듭)

✚ 도전 앞에서 늘 머뭇거리거나 포기해 버리는 저희 아이를 위해 기도합니다. 불확실성의 시대라는 오늘날, 도전하고 선택하는 일은 늘 두렵고 불안합니다. 하지만 도전하는 자만이 현실의 벽을 넘고 새로운 역사를 만들어 갈 수 있음을 잘 알고 있습니다. 어머니께 간절히 청하오니, 아이에게 주님께서 항상 함께하신다는 믿음으로 도전할 수 있는 용기를 주시고, 도전 앞에 마주하게 되는 어려움들을 담대하게 뚫고 나갈 수 있게 하소서. 진정 두려워해야 할 것은 세상 그 어떤 것이 아니라 오로지 주님뿐이라는 진리를 깨닫게 하소서.

꿈도 의욕도 없는 자녀를 위하여

(무기력의 매듭)

✚ 꿈도 없고 하고 싶은 것도 없이 무기력의 늪에 빠진 저희 아이를 위해 기도합니다. 꿈이 있는 자만이 그 꿈을 이루기 위해 구체적인 목표를 세우고 목표를 향해 활기차게 나아갈 수 있습니다. 어머니께 간절히 청하오니, 저희 아이가 자신의 재능을 발견하고 진정 좋아하는 일이 무엇인지 깨달아 자신의 꿈을 향해 힘차게 나아가게 하소서. 그리하여 빛나는 미래를 위해 열심히 공부하고 하느님께서 주신 재능을 계발하는 데 기쁘게 투신하게 하소서. 또한 꿈을 향해 나아가는 길에서 든든한 교사와 좋은 친구를 만나게 하시고 그 여정 안에서 함께하는 기쁨이 얼마나 큰지, 진정으로 하느님께 나아가는 길이 무엇인지 깨닫게 하소서.

고집이 센 자녀를 위하여

(아집의 매듭)

✚ 고집이 센 저희 아이를 위해 기도합니다. 아이는 다른 사람의 의견에는 좀처럼 귀 기울이지 않습니다. 적당한 고집은 줏대가 있다고 칭찬하지만 더 현명한 방안이 있음에도 자신의 주장을 버리지 못하는 것은 교만이라 할 수 있습니다. 어머니께 간절히 청하오니, 생각과 마음을 쉽게 바꾸지 못하는 아이의 아집을 바꾸어 주시고, 다른 이의 의견에 귀 기울이게 하시어 지혜롭게 타인과 소통하게 하소서. 그리하여 의견을 잘 조율할 수 있도록 이끌어 주시고 겸손의 미덕도 키워 주소서.

거짓말을 자주 하는 자녀를 위하여

(거짓의 매듭)

✚ 거짓말을 자주 하는 저희 아이를 위해 기도합니다.

아이는 자신의 잘못을 변명하기 위해서, 자신을 돋보이려고, 난처한 순간을 모면하려고, 때론 상대방을 기분 좋게 하기 위한 빈말처럼 거짓말을 자주 합니다. 어머니께 간절히 청하오니, 저희 아이가 어떤 상황에서든 거짓과 타협하지 않게 하소서. 설령 그로 인해 아프고 외로워질지라도 결코 정직함을 잃지 않게 하소서. 그리하여 저희 아이의 말과 행동 속에는 언제나 믿음의 향기가 가득하게 하소서.

게으른 자녀를 위하여

(게으름의 매듭)

✚ 평소 움직이기를 싫어하고 게으른 저희 아이를 위해 기도합니다. 아이는 자신이 해야 할 일을 미루거나 하지 않을 때가 많습니다. 귀찮기도 하고 하고픈 의욕도 없고 해야 할 필요성도 느끼지 못하기 때문입니다. 어머니께 간절히 청하오니, 아이가 어떤 일에서든 넘

치는 의욕으로 최선을 다할 수 있도록 이끌어 주시고, 활력 있는 삶을 꾸려가게 하소서. 그리하여 땀의 진정한 가치를 알게 하시어 땀을 흘리며 사는 것이 진정 고귀하고 행복한 삶임을 깨닫게 하소서.

도벽이 있는 자녀를 위하여

(탐심의 매듭)

➕ 도벽이 있는 저희 아이를 위해 기도합니다. 남의 물건을 훔치는 일은 결코 해서는 안 되는 나쁜 일이라 타일러도 아이의 탐심은 쉽게 사그라들지 않습니다. 어머니께 간절히 청하오니, 저희에게 지혜를 주시어 아이에게 '해서는 안 되는 것'을 명확히 가르칠 수 있도록 도와주시고, 아이의 약한 의지를 바로 세워 주시어 탐심의 충동 앞에서 자신의 마음을 제어할 수 있도록 이끌어 주소서. 그리하여 아이의 잘못된 욕심이 선행과 봉사의 착한 마음으로 바뀌게 하소서.

조금만 어려워도 쉽게 포기하는 자녀를 위하여

(포기의 매듭)

✚ 쉽게 포기하는 저희 아이를 위해 기도합니다. 다가올 일이 불안하고 두려워 미리 포기하고 마는 아이는 어려움 앞에 한없이 약해지곤 합니다. 어머니께 간절히 청하오니, 저희 아이의 마음속에서 포기라는 부정적 기운을 없애 주시고 할 수 있다는 자신감과 자신이 그려 나갈 미래에 대한 희망이 단단히 뿌리내리게 하소서. 그리하여 인생의 거친 파도 앞에서도 주님께서 함께하신다는 믿음으로 더 멀리, 더 높이 바라보며 힘차게 날아오르게 하소서.

시간의 소중함을 모르는 자녀를 위하여

(시간 낭비의 매듭)

✚ 시간을 귀하게 여길 줄 모르는 저희 아이를 위해 기도합니다. 아이는 세상 분위기에 휩쓸려 시간을 헛되

이 흘려버리거나 게으름으로 허비하기도 하며 중요한 선택 앞에서 우물쭈물하다 기회를 놓칠 때도 있습니다. 시간은 결코 기다려 주지 않으며 한번 지나간 시간은 되돌아오지 않는다는 것을 잘 알고 있습니다. 어머니께 간절히 청하오니, 아이로 하여금 시간의 참된 가치를 알게 하시어, 주님께서 마련해 주시는 하루하루가 얼마나 소중한지 깨닫고 감사하게 하소서.

음란물의 유혹에 빠진 자녀를 위하여

(유혹의 매듭)

✚ 음란물의 유혹에 빠진 저희 아이를 위해 기도합니다. 아이는 자신도 모르게 넘어간 유혹 앞에서 자제력을 잃어 그 늪에서 쉽게 헤어 나오지 못합니다. 어머니께 간절히 청하오니, 저희 아이를 세상의 수많은 유혹에서 지켜 주시고 스스로 유혹을 떨쳐 버릴 수 있는 지혜와 용기를 허락하소서. 또한 아이로 하여금 지금 이

시기에 꼭 해야 할 일과 하지 말아야 할 일을 분별하게 해 주시어 달콤한 유혹 앞에서도 바른길을 선택하게 하소서. 설령 유혹에 잠시 빠졌다 하더라도 너무 낙심하지 말게 하시고 성性이야말로 주님께서 주신 고귀한 선물임을 깨닫게 하소서.

*아래의 기도들은 성모님께 풀어 주시기를 청하며 맡겨드리는 매듭의 기도와는 달리 기도자의 고유한 청원을 담은 기도입니다. 자신의 상황에 맞춰 적절하게 사용할 수 있습니다.

첫영성체를 준비하는 자녀를 위하여

✚ 첫영성체를 준비하는 저희 아이를 위해 기도합니다. 주님의 성체를 모시기 위해 준비하는 시간이야말로 하느님의 사랑을 알아가는 가장 귀하고 행복한 시간입니다. 이제 교리 공부를 하고 기도문을 외우고 친구들과 어울려 신앙을 키우며 신앙인으로서의 첫발을 떼는 아이와 함께해 주소서. 어머니께 간절히 청하오니, 아이가 이 소중한 과정을 통해 주님께서 함께하시

며 영원히 지켜 주실 거라는 믿음을 그 작은 가슴에 오롯이 품게 하소서. 그리하여 밤새 몰라보게 자라는 아이의 키만큼이나 믿음도 훌쩍 자라게 하소서.

학교에 입학하는 자녀를 위하여

✚ 이번에 새로 학교에 들어가는 저희 아이를 위해 기도합니다. 아이는 새롭게 만나는 낯선 환경에 기대 반 두려움 반으로 조심스레 첫걸음을 내딛고 있습니다. 어머니께 간절히 청하오니, 저희 아이가 건강한 몸과 마음으로 학교생활에 잘 적응할 수 있게 도와주시고, 지혜로운 선생님들과 만나고 좋은 친구들을 사귀어서 학창 시절이 즐겁고 유익한 배움의 시기가 되게 하소서. 혹여 친구들과의 관계에서 힘들고 어려운 일이 있더라도 슬기롭게 풀어 나가며 아름다운 추억을 만들게 하소서.

온유하고 사려 깊은 아이가 되게 하소서

✚ 저희 아이가 분하고 화나는 일을 마주하게 되더라도 감정의 거친 파도를 잘 다스릴 줄 아는 온유한 마음을 지닐 수 있도록 기도합니다. 아이에게 늘 경청하는 겸손을 주시어 자신의 생각과 주장을 앞세우기보다 상대방의 말에 귀 기울이고 그 입장을 이해하며 온 마음으로 품을 수 있게 하소서. 그리하여 많은 이에게 용기와 희망을 주는 하느님의 사람이 되게 하소서.

큰 꿈을 품고 담대하게 걸어가게 하소서

✚ 저희 아이가 어떠한 상황에서도 큰 꿈을 품을 수 있도록 기도합니다. 아이로 하여금 자신에게 주어진 기회를 이용하고 재능을 계발하여 대부분의 사람이 가고자 하는 헛된 인기와 영달의 길이 아닌, 오롯이 자신만의 길을 걷게 하소서. 아이가 가는 그 길이 비록 낯설고 힘들더라도 언제나 옳고 바른 것을 선택하게 하

시고, 작은 일에도 정성을 다하게 하소서. 그리하여 항상 밝고 사랑스러운 아이에게서 그리스도의 향기가 퍼져 나오게 하소서.

항상 저희 아이와 함께하시며 지켜 주소서

✚ 저희 아이를 항상 지켜 주시길 기도합니다. 온갖 유혹으로 가득 찬 세상일지라도 성모님과 함께라면 저희는 결코 두렵지 않나이다. 이 흔들리는 세상 속에서 저희 아이와 함께해 주시어, 혹여 아이가 걸려 넘어지더라도 실망하거나 좌절하지 않도록 도와주소서. 또한 저희 아이가 성공하였을 때에도 자만하지 않고 실패하였을 때에도 부끄러워하지 않으며 실패를 통해 성공의 지혜를 배우게 하소서. 그리하여 저희가 생각하지도 못한 놀라운 방법으로 주님께서 돌보아 주신다는 것을 깨닫게 하소서.

자녀를 위한 청원 기도 2

성년 자녀를 위한 청원 기도

부모 자신을 위한 청원 기도

성년 자녀를 위한
청원 기도

취업을 준비하는(취업 실패로 힘들어하는) 자녀를 위하여
(미취업의 매듭)

✚ 학업을 마치고 이제 취업을 준비하는(취업 실패로 힘들어하는) 저희 아이를 위해 기도합니다. 그동안 자신의 미래에 대해 고민하며 열심히 공부해 온 아이는 이제 학업을 마치고 취업을 준비하고 있습니다. 하지만 취업 시장이 좁아진 현실 속에서 힘들어하는 아이의 모습을 보며 안타깝기만 합니다. 어머니께 간절히 청하오니, 취업이 다소 늦어지더라도 아이가 결코 당당함과 희망을 잃지 않게 하소서. 그리하여 언젠가 자신이 바라던 일을 얻고 자신의 꿈과 능력을 마음껏 펼칠 수 있게 하소서.

군 복무 중인(군 입대를 앞둔) 자녀를 위하여

(불안함의 매듭)

✚ 군 복무 중인(군 입대를 앞둔) 저희 아이를 위해 기도합니다. 대한민국 젊은 남성이라면 누구나 거쳐야 하는 과정이지만 입대하는 아이도 그 모습을 지켜보는 부모도 기대만큼이나 불안하고 두렵습니다. 어머니께 간절히 청하오니, 아이가 대한민국 군인이라는 자부심을 가지고 긍정적인 마음으로 군 생활에 임하게 하시고, 훈련과 공동생활을 통해 더욱 강인한 체력과 정신력을 지니게 하소서. 그리하여 씩씩하게 군 복무를 마치고 건강한 사회 구성원으로 기쁘게 살아가게 하소서.

여행을 떠난(준비하는) 자녀를 위하여

(여행 중 어려움의 매듭)

✚ 여행을 떠난(준비하는) 저희 아이를 위해 기도합니다.

여행에는 늘 새로움만큼 갑작스러운 어려움도 따르기 마련입니다. 어머니께 간절히 청하오니, 아이의 여행 길이 기대했던 것 이상으로 아름다움과 경이로움으로 가득하게 하시어 아이로 하여금 여정에서 만나는 모든 사람과 자연을 통해서 더욱 성장할 수 있게 하시고 그 여정에서 주님의 거룩한 신비를 깨닫게 하소서. 또한 저희 아이 곁에 늘 함께하시어, 아이가 어려움을 지혜로이 극복하고, 그 어려움 속에서도 성모님의 보호하심과 여행의 참의미를 깨닫게 하소서.

신앙생활을 하지 않는 자녀를 위하여
(냉담의 매듭)

✚ 신앙생활에서 멀어진 저희 아이를 위해 기도합니다. 아이는 바쁘다는 핑계로 성당에 가지 않고 냉담 중에 있습니다. 어머니께 간절히 청하오니, 아이가 자신의 인생에서 신앙이 얼마나 중요한지 깨닫게 하시고

식어 버린 믿음을 바로 세울 수 있도록 도와주시어, 그렇게 새로워진 믿음으로 주님을 더욱 사랑하게 하소서. 그리하여 온 가족이 신앙의 활력을 되찾고 성가정을 이뤄 세상 마지막 날 사랑 가득한 당신의 품에 안기게 하소서.

직장 생활이 힘들다는 자녀를 위하여

(스트레스의 매듭)

✚ 직장 생활을 힘들어하는 저희 아이를 위해 기도합니다. 아이는 어렵게 들어간 직장에서 받는 스트레스 때문에 지쳐 있습니다. 새롭게 맺는 인간관계와 일이 주는 중압감으로 힘들어하는 아이를 보며 부모인 저희 역시 힘들고 마음이 아픕니다. 어머니께 간절히 청하오니, 아이가 지금 겪는 어려움을 지혜롭게 극복하게 하시고, 열린 마음으로 상사와 동료들에게 다가갈 수 있는 넓은 마음을 주시어, 자신의 꿈과 능력을 자신

있게 펼치며 행복한 직장 생활을 이뤄 가게 하소서.

중요한 선택 앞에 망설이는 자녀를 위하여
(망설임의 매듭)

✚ 망설이고 또 망설이다 많은 것을 놓치는 저희 아이를 위해 기도합니다. 낯선 상황이 막연한 두려움을 안겨 주기도 하지만 아이는 중요한 선택을 앞에 두고 머뭇거리다 포기하거나 소중한 기회를 놓칠 때가 많아 안타깝기만 합니다. 어머니께 간절히 청하오니, 아이가 선택과 결정의 상황 앞에서 불안함에 마음을 빼앗기지 않게 하시고 설령 어려움이 닥치더라도 모든 걸 의탁할 수 있는 주님이 계심을 잊지 않게 하소서. 또한 어떤 일을 선택하든 당장의 이익보다는 주님의 뜻에 맞갖은 선한 가치를 먼저 생각하는 주님의 사랑스러운 자녀가 되게 하소서.

몸이 아픈 자녀를 위하여

(병고의 매듭)

✚ 몸이 아파 누워 있는 저희 아이를 위해 기도합니다. 수척해진 아이를 보며 건강했을 때의 모습이 자꾸 떠올라 측은하고 애처롭기만 합니다. 어머니께 간절히 청하오니, 저희가 사랑하는 이 아이의 건강을 돌보시고 병에서 회복되어 저희와 나눴던 일상의 삶으로 어서 빨리 돌아오게 하소서. 또한 아이로 하여금 병고를 통해 주님 수난의 깊은 사랑을 깨닫게 하시고 고통 속에 숨겨진 사랑의 계획에 건강해진 몸과 마음으로 기꺼이 동참하게 하소서.

계획 없이 소비하는 자녀를 위하여

(잘못된 소비 습관의 매듭)

✚ 계획 없이 소비하는 저희 아이를 위해 기도합니다. 미리 계획하지 않고 사고 싶은 것을 충동적으로 구입

하는 아이의 소비 습관이 부모로서는 무척 염려됩니다. 어머니께 간절히 청하오니, 아이에게 필요한 것과 필요하지 않은 것을 분별할 수 있는 지혜를 주시고, 아이가 적절하고 합리적인 소비를 할 수 있도록 이끌어 주소서. 그리하여 튼실한 미래로 나아가는 알뜰한 삶을 살게 하소서.

> * 아래의 기도들은 성모님께 풀어 주시기를 청하며 맡겨드리는 매듭의 기도와는 달리 기도자의 고유한 청원을 담은 기도입니다. 자신의 상황에 맞춰 적절하게 사용할 수 있습니다.

결혼(약혼)을 앞둔 자녀를 위하여

✚ 결혼(약혼)을 앞둔 저희 아이를 위해 기도합니다. 결혼(약혼) 준비에 바쁜 아이를 보며 지금까지 아이와 함께했던 추억들이 주마등처럼 스쳐 갑니다. 부모로서 특별히 잘해 주지 못했지만 아이가 지금처럼 잘 커 준 것이 그저 고맙고 미안하고 그래서 더 사랑스럽습니다. 어머니께 간절히 청하오니, 저희 아이와 사랑하는

짝이 서로를 잘 이해하고 서로 도움이 되는 존재로 행복하게 살아가며 즐거움뿐 아니라 어려움까지도 온전히 함께 나누게 하소서. 그리하여 아이의 가정이 성모님께서 이루신 성가정을 닮아 가게 하소서.

결혼한 자녀의 가정을 위하여

✚ 가정을 이루어 살아가는 저희 아이 부부를 위해 기도합니다. 살다 보면 의견이 다르기도 하고 그로 인해 부딪치기도 하지만 서로 있는 그대로의 모습을 사랑하며 상대방의 부족함을 지혜롭게 채워 가게 하소서. 즐거울 때도 괴로울 때도 성할 때도 아플 때도 서로 사랑하고 존경하겠다던 처음의 서약을 되새기며 사랑하는 부부로서, 자애로운 부모로서 온 가족이 하나 되어 영원히 사랑하게 하소서. 그리하여 아이의 가정에 나자렛 성가정의 향기가 새록새록 피어나게 하소서.

임신한 자녀를 위하여

✚ 새 생명을 잉태한 저희 아이 부부를 위해 기도합니다. 저희 아이 부부에게 주신 이 아름답고도 경이로운 선물에 주님께 찬미와 감사를 드립니다. 어머니께 간절히 청하오니, 아이 부부가 적절한 영양분 섭취와 지속적인 운동을 통해 태아의 건강을 지키게 하시고, 가장 아름다운 태교는 기도임을 깨달아 더 깊은 기도 안에 지내도록 이끌어 주소서. 그리하여 건강과 순산의 은혜를 내려 주시고, 나아가 지혜롭고 건강한 아이로 자랄 수 있도록 당신 사랑의 손길로 키워 주소서.

사제 및 수도 성소의 길을 가고자 하는 자녀를 위하여

✚ 거룩한 부르심의 길을 가고자 하는 저희 아이를 위해 기도합니다. 아이가 주님의 부르심에 따라 사제(수도자)의 길을 가고자 합니다. 그 길은 참으로 좁고 험난하기에 중도에 힘들어하는 이도, 포기하는 이도 있지

만 어려운 만큼 더욱 값지고 행복한 길이라 믿습니다.
어머니께 간절히 청하오니, 아이로 하여금 자신이 가
고자 하는 그 길을 확고한 믿음으로 걸어가게 하시고,
그 길 위에서 주님과 하나 되어 다른 이들에게 그 사랑
을 전하게 하소서. 그리하여 지상에서의 그 여정이 끝
나는 날, 주님 영광 안에 들게 하소서.

부모 자신을 위한
청원 기도

자녀의 말에 귀 기울이지 못하는 자신을 위해

(귀 기울이지 못함의 매듭)

✚ 저희 아이의 말에 귀 기울지 못하고 아이의 마음을
헤아리지 못하는 저 자신을 위해 기도합니다. 그동안
아이의 말을 가로막고 판단하고 비교하는 말로 아이
에게 상처를 주었습니다. 어머니께 간절히 청하오니,

아이를 진심으로 존중하는 마음으로 먼저 아이의 말에 귀 기울이게 하시어 아이가 제 앞에서 맘 편히 의견을 펼쳐 보일 수 있게 하소서. 또한 아이가 잘한 일에 대해서는 칭찬을 아끼지 않고, 저 자신의 잘못을 깨달았을 때에 서슴없이 용서를 구하게 하소서.

자녀 일로 너무 걱정하는 자신을 위하여

(의탁하지 못함의 매듭)

✚ 자녀 일에 너무 염려하고 불안해하는 저 자신을 위하여 기도합니다. 아이를 온전히 믿지 못해 끊임없이 잔소리하고 안달하는 저 자신을 봅니다. 아이에 대한 근심과 걱정을 모두 어머니께 맡기며 청하오니, 저로 하여금 아이를 믿고 바라볼 수 있게 하시고, 아이의 사소한 잘못에는 기다리며 인내할 줄 알게 하소서. 그리하여 아이가 먼저 다가와 스스럼없이 고민을 나눌 수 있는 친구 같은 부모가 되게 하소서.

간구하는 내용을 직접 작성하여
매듭을 푸시는 성모님께 기도를 바쳐 보세요.

✚　　　　　　　를(을) 위하여(　　　　　　　의 매듭)

사도 신경

전능하신 천주 성부 천지의 창조주를 저는 믿나이다.

그 외아들 우리 주 예수 그리스도님

(밑줄 부분에서 모두 깊은 절을 한다.)

성령으로 인하여 동정 마리아께 잉태되어 나시고

본시오 빌라도 통치 아래서 고난을 받으시고

십자가에 못 박혀 돌아가시고 묻히셨으며

저승에 가시어 사흗날에

죽은 이들 가운데서 부활하시고

하늘에 올라 전능하신 천주 성부 오른편에 앉으시며

그리로부터 산 이와 죽은 이를

심판하러 오시리라 믿나이다.

성령을 믿으며 거룩하고 보편된 교회와

모든 성인의 통공을 믿으며

죄의 용서와 육신의 부활을 믿으며

영원한 삶을 믿나이다. 아멘.

주님의 기도

하늘에 계신 우리 아버지, 아버지의 이름이
거룩히 빛나시며 아버지의 나라가 오시며
아버지의 뜻이 하늘에서와 같이
땅에서도 이루어지소서!
오늘 저희에게 일용할 양식을 주시고
저희에게 잘못한 이를 저희가 용서하오니
저희 죄를 용서하시고 저희를 유혹에 빠지지 않게
하시고 악에서 구하소서. 아멘.

영광송

(밑줄 부분에서 고개를 숙이며)

영광이 성부와 성자와 성령께
처음과 같이 이제와 항상 영원히. 아멘.

성모송

은총이 가득하신 마리아님, 기뻐하소서!

주님께서 함께 계시니 여인 중에 복되시며

태중의 아들 예수님 또한 복되시나이다.

천주의 성모 마리아님,

이제와 저희 죽을 때에

저희 죄인을 위하여 빌어 주소서. 아멘.

구원을 비는 기도

예수님, 저희 죄를 용서하시며

저희를 지옥불에서 구하시고

연옥 영혼을 돌보시며

가장 버림받은 영혼을 돌보소서.